S0-BOC-539

L'autobus magique

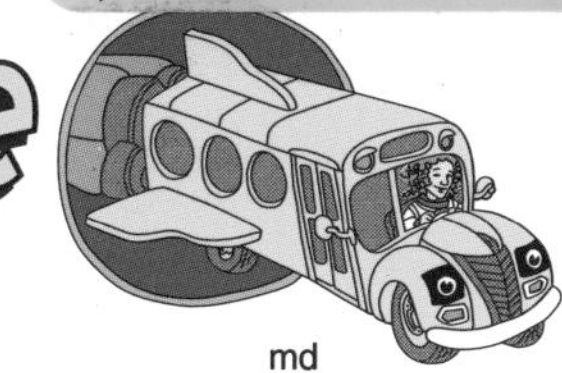

md

cherche le vert

Un livre sur la photosynthèse

Les éditions Scholastic

D'après un épisode de la série télévisée animée produite par Scholastic Productions Inc., inspirée des livres *L'autobus magique* écrits par Joanna Cole et illustrés par Bruce Degen.

Adaptation du livre d'après la série télévisée écrite par Leonore Notkin et illustrée par Bob Ostrom. Scénario télé de Ronnie Krauss. Texte français de Lucie Duchesne.

Données de catalogage avant publication (Canada)

Cole, Joanna
L'autobus magique cherche le vert

Traduction de : The magic school bus gets planted : a book about photosynthesis
ISBN 0-439-00458-6

1. Photosynthèse - Ouvrages pour la jeunesse. I. Degen, Bruce.
II. Duchesne, Lucie. III. Titre.

QK882.C6414 1999 j572'.46 C98-932888-0

Il est interdit de reproduire, d'enregistrer ou de diffuser en tout ou en partie le présent ouvrage, par quelque procédé que ce soit, électronique, mécanique, photographique, sonore, magnétique ou autre, sans avoir obtenu au préalable l'autorisation écrite de l'éditeur. Copyright © Joanna Cole et Bruce Degen, 1997.
Copyright © Les éditions Scholastic, 1999, pour le texte français.
Tous droits réservés.

L'autobus magique est une marque déposée de Scholastic Inc. Pour toute information concernant les droits, s'adresser à Scholastic Inc., 555 Broadway, New York, NY 10012.

Édition publiée par Les éditions Scholastic, 175, Hillmount Road, Markham (Ontario) Canada L6C 1Z7

4 3 2 1 Imprimé au Canada 9 / 9 0 1 2 3 4 /0

Nous ne savons jamais ce qui peut nous arriver quand nous sommes en classe avec Mme Friselis. Aujourd'hui, par exemple, nous répétons une pièce basée sur le conte *Jacques et le haricot magique.*

Catherine joue le rôle de Jacques, Liza fait l'oie aux œufs d'or, Carlos est le géant, Kisha incarne la mère de Jacques et Thomas, le vieil homme du marché. Nous avons enfilé nos costumes et les décors sont prêts.

Soudain, Catherine se retourne et examine les décors.

— Où est le haricot? demande-t-elle.

Le haricot est l'accessoire le plus important pour notre pièce! Et Pascale, notre accessoiriste, n'est pas là.

Nous trouvons finalement Pascale dans le magasin des accessoires. Elle essaie de fixer des feuilles à une espèce de tige molle de papier mâché vert. Mais ça ne ressemble pas du tout à un haricot.

— Tu n'as pas réussi à faire pousser un vrai haricot? demande Kisha en montrant la «chose».

— J'ai essayé, répond tristement Pascale en nous montrant une petite pousse vert pâle dans un pot. La fève a germé, mais le germe n'a jamais poussé. Je ne sais pas ce qui est arrivé.

— On ne peut pas jouer sans haricot magique! s'écrie Catherine.

— Évidemment que non, répond Mme Friselis. Mais ce n'est pas parce que notre magasin d'accessoires est à court de haricots que nous devons abandonner notre projet. Tous à l'autobus!

— Un instant, annonce Pascale lorsque nous nous apprêtons à monter dans l'autobus. Comme c'était ma tâche de faire pousser le haricot magique, je dois trouver une solution.

Mme Friselis a une étrange lueur dans le regard.

— Très bonne idée, dit-elle à Pascale. Tu nous attends sagement ici et nous allons te faire pousser en un rien de temps.

Pascale va-t-elle devenir notre haricot magique?

Liza appuie sur un bouton du tableau de bord. Pascale commence à rétrécir. Et en un instant, elle devient une petite plante verte en pot!

— Pascale est notre haricot magique! s'écrie Carlos.

— Quoi? s'étonne Pascale. Tu veux dire que je suis le haricot? Je m'étais proposée pour faire pousser un haricot, pas pour en *être* un!

Nous sortons tous de l'autobus pour voir Pascale.

Frisette fait asseoir Pascale près d'un plan de patate douce dans le jardin, à côté du terrain de stationnement.

— Grandis, lui dit-elle. Ce plant de patate douce sera ton guide.

Nous savons que Pascale devrait grandir beaucoup pour jouer le rôle du haricot magique. Mais elle ne sait pas comment faire. Après tout, elle n'a jamais été une plante!

— Elle a peut-être besoin de manger! suggère Kisha. Toutes les créatures vivantes ont besoin de nourriture pour grandir.

Elle donne une croustille à Pascale.

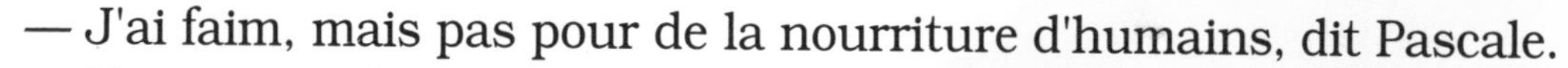

— J'ai faim, mais pas pour de la nourriture d'humains, dit Pascale.

— Tu as raison! nous écrions-nous en chœur. Tu es une plante. Il te faut de la nourriture pour plantes.

— Mais comment faire pour en trouver? demande Pascale.

— Voyons, dit Hélène-Marie qui réfléchit. Les plantes n'ont pas de bouche pour mâcher... ni de mains pour saisir les aliments. Je me demande si elles mangent avec leurs racines, suggère-t-elle.

— Mais qu'est-ce que les racines mangent? demande Pascale, qui veut savoir.

— Peut-être de la terre, répond Hélène-Marie.

C'est en plein ce que Mme Friselis voulait entendre. Elle sort de son sac une étrange caméra-vidéo à deux sens et l'installe près du plant de patate douce. Ainsi, Pascale pourra nous voir et nous entendre à tous les instants. Nous aussi pourrons la voir et l'entendre.

— À l'autobus! dit-elle.

Nous montons à bord et bouclons nos ceintures. Soudain, l'autobus se transforme en une tornade jaune. Puis, il rapetisse et s'enfonce dans le sol humide.

Une seconde plus tard, nous avançons dans un tunnel sombre. C'est étonnant. Il y a des cailloux et d'autres objets tout autour, qui ressemblent à d'énormes rochers.

— Est-ce que ce sont des amas de terre? demande Raphaël.

— Bonne déduction, répond Mme Friselis. Le sol est fait de petites particules de roche et d'autres substances. Mais comme nous sommes si petits, ces particules nous semblent aussi grosses que des rochers.

— Et est-ce que c'est de l'eau? demande Thomas en montrant un liquide qui coule dans la terre autour de nous.

— Mais oui! dit Frisette.

Soudain, nous remarquons un immense objet qui avance vers nous.

— C'est une racine, dit Pascale dans le moniteur vidéo.

— Et elle bouge parce qu'elle pousse, précise Hélène-Marie.

— Elle pousse? Donc cela veut dire qu'elle trouve sa nourriture quelque part! dit Catherine.

— On dirait qu'elle aspire l'eau! ajoute Raphaël. Si nous devenons plus petits, elle nous aspirera aussi!

En un éclair, Mme Friselis tire sur un autre levier du tableau de bord. Nous rapetissons de nouveau.

— Qu'est-ce qui se passe? Au secours! crions-nous.

Nous rapetissons jusqu'à pouvoir entrer dans une goutte d'eau! Soudain, on dirait que l'extrémité de la racine a la chair de poule. Puis d'étranges fils commencent à surgir!

— Les racines explosent! s'écrie Catherine.

— Mais non, explique Frisette. Ce sont des radicelles.

Les radicelles commencent à aspirer l'eau qui les entoure... et nous aussi!

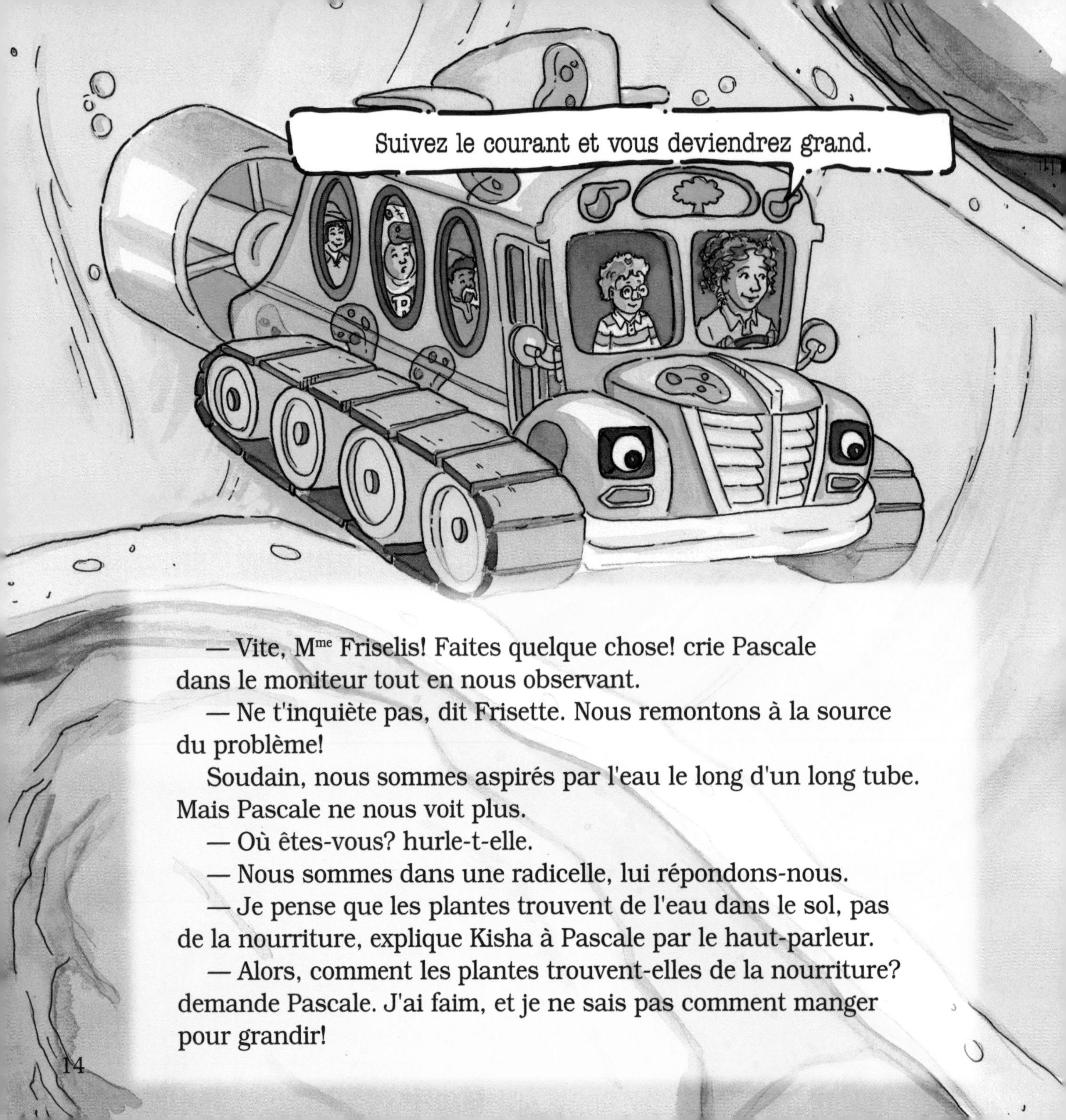

— Vite, Mme Friselis! Faites quelque chose! crie Pascale dans le moniteur tout en nous observant.

— Ne t'inquiète pas, dit Frisette. Nous remontons à la source du problème!

Soudain, nous sommes aspirés par l'eau le long d'un long tube. Mais Pascale ne nous voit plus.

— Où êtes-vous? hurle-t-elle.

— Nous sommes dans une radicelle, lui répondons-nous.

— Je pense que les plantes trouvent de l'eau dans le sol, pas de la nourriture, explique Kisha à Pascale par le haut-parleur.

— Alors, comment les plantes trouvent-elles de la nourriture? demande Pascale. J'ai faim, et je ne sais pas comment manger pour grandir!

Pendant ce temps, les élèves de l'école traversent le jardin pour se rendre au gymnase : ils viennent assister à notre pièce.

— Vite, cache-moi! ordonne Pascale à Liza. Personne ne doit me voir dans cet état!

Liza place une grosse boîte de carton par-dessus Pascale. Nous ne le savons pas, mais Pascale est toute seule dans le noir.

D'un coup sec, nous sommes entraînés par l'eau dans la tige! C'est incroyable!

— Nous savons que les plantes ne trouvent pas leur nourriture dans leurs racines ni dans l'eau, donc la réponse se trouve dans les feuilles! crie Raphaël.

— Et je sens que c'est là qu'on s'en va! dit Catherine.

Pendant ce temps, nous apercevons Pascale à l'écran. Elle a tellement faim qu'elle se met à faner!

— Dernier étage : les feuilles! annonce Mme Friselis.

Nous sortons de l'autobus et nous apercevons un environnement fabuleux!

— C'est vraiment une feuille? demande Thomas. Je pensais que les feuilles étaient plates, et celle-ci ne l'est pas du tout!

— C'est parce que nous sommes tellement petits, explique Hélène-Marie, que les feuilles ont l'air d'avoir une texture. Regarde toutes les différentes parties!

— Je parie que ce sont ces grosses boules vertes qui donnent leur couleur aux feuilles, quand nous avons notre taille normale, suggère Carlos.

— Tout à fait! dit Frisette. Ce sont des chloroplastes, explique-t-elle.

— Est-ce que les chloroplastes sont de la nourriture? demande Catherine.

— Tu brûles... répond Mme Friselis.

Soudain, Kisha remarque quelque chose au bas de la feuille. La chose s'ouvre et se ferme, et nous pouvons voir à l'intérieur.

— La nourriture entre peut-être par là, dit-elle en montrant des trous.

Puis un courant d'air passe par les trous.

— Hé! crie Catherine. Je sens de l'air qui entre lorsque ces trous s'ouvrent.

— Est-ce que c'est de la nourriture? demande Jérôme en montrant l'air.

— Je ne sais pas, répond Raphaël. Je vais essayer de sentir.

Raphaël se penche au-dessus du grand espace d'où l'air vient. Il tient vraiment à sentir l'air.

— Non, conclut-il, ça ne sent pas...

Il ne peut pas terminer sa phrase, car il s'est penché trop bas. Il tombe dans le grand espace d'air, directement vers un des trous du bas de la feuille. Et au même moment, le trou commence à s'ouvrir.

— Au secours! crie-t-il lorsqu'il s'approche de plus en plus du trou.

Heureusement, un grand souffle d'air s'échappe du trou et renvoie Raphaël jusqu'en haut.

BOUM! Raphaël se cogne la tête. D'où nous sommes, nous pouvons sentir le souffle d'air.

— Donc les plantes tirent leur air par ces ouvertures dans leurs feuilles, déduit Kisha.

— Et elles aspirent de l'eau par leurs racines et leurs tiges, poursuit Catherine.

— Mais qu'est-ce que ça vient faire lorsqu'il s'agit de nourriture? demandent-elles en chœur.

Soudain, le soleil paraît et luit sur la feuille où nous nous trouvons. Et il se produit une chose incroyable : les chloroplastes deviennent fous! Ils courent vers la source de lumière.

— Oh là là! s'écrie Carlos. Regarde-les s'agiter!

— Qu'est-ce qui se passe? demande Jérôme.

Nous observons toute cette agitation à l'intérieur du liquide. Mme Friselis nous donne des casques de plongée pour que nous puissions suivre les chloroplastes. Nous sortons de l'autobus et partons à la recherche des chloroplastes.

— YAHOU! hurle Frisette en s'agrippant à un chloroplaste et en le chevauchant pendant qu'il se précipite vers la lumière.

— Les chloroplastes aiment le soleil; ils cherchent la lumière, lance Catherine.

— Ils absorbent la lumière du soleil! dit Thomas.

— Et le soleil semble leur donner de l'énergie, suggère Hélène-Marie.

— Regardez, dit Kisha en indiquant un des chloroplastes. Il absorbe non seulement la lumière du soleil, mais de l'air et de l'eau aussi!

Nous voyons la lumière du soleil briller dans le chloroplaste. De l'air pénètre à l'intérieur. Le chloroplaste aspire de l'eau aussi.

Soudain, une étrange substance blanche se dégage.

Nous regardons tous cette substance blanche qui sort des chloroplastes et se verse dans le liquide.

— C'est peut-être de la pâte à crêpes pour plantes, propose Kisha.

— Avec la lumière du soleil, l'air et l'eau, les chloroplastes fabriquent... une substance blanche! dit Catherine en s'approchant. Et c’est tout... gluant!

Puis elle grimpe et retire son casque. Un peu de cette substance lui éclabousse le visage.

— Aïïïïïïe! j'en ai reçu dans la bouche! crie-t-elle. Mais c'est très bon! C'est sucré. J’en déduis que les chloroplastes fabriquent une sorte de sucre.

— Ce sucre doit être une sorte de nourriture, ajoute Kisha. Les plantes fabriquent leurs propres aliments! Elles n'ont pas à les chercher ailleurs! s'écrie-t-elle.

— Et voilà, les enfants! dit Frisette en atterrissant sur le toit de l'autobus. Vous l'avez découvert tout seuls!

Nous appelons Pascale par le microphone de la caméra.

— L'autobus appelle Pascale! Nous avons trouvé : si tu veux manger et pousser, tu as seulement besoin d'air, d'eau et de soleil! lance Thomas.

— Mais je ne peux pas fabriquer ma nourriture! gémit Pascale. J'ai de l'air et de l'eau, mais il n'y a pas de SOLEIL, dans cette boîte.

— Une boîte! Mais qu'est-ce que tu fais dans une boîte? crie Kisha.

C'est normal que Pascale ait si faim : les plantes ont besoin de soleil pour fabriquer leur nourriture.

Nous retournons dans l'autobus et partons à la rescousse de Pascale.

Pendant ce temps, les autres élèves sont dans le gymnase et attendent le début de notre pièce. Ils commencent à s'impatienter.

Nous atterrissons sur la feuille à l'aide de fusées. Puis Mme Friselis appuie sur des boutons du tableau de bord et nous retrouvons tous notre taille normale. Nous sortons en trombe de l'autobus et courons vers la boîte de Pascale. Mais lorsque nous soulevons la boîte, Pascale a disparu, et Liza aussi.

Nous retrouvons Pascale sur la scène, bien en place. Liza l'a amenée au gymnase et essaie de soulever ses feuilles avec des branchettes. Pascale n'a toujours pas poussé, mais Mme Friselis nous donne le signal de départ.

— Il était une fois, commence Frisette, un garçon qui s'appelait Jacques. Ouvre le puits de lumière, Liza.

Par la fenêtre du gymnase, nous apercevons Liza qui tire sur quelques leviers de l'autobus. L'autobus se transforme ensuite en une énorme grue aussi grosse que le gymnase. La grue ouvre le puits de lumière et le soleil entre, droit sur Pascale.

Immédiatement, Pascale devient plus forte et plus... verte!

Dès que les rayons du soleil la frappent, Pascale se sent moins effrayée. Elle ouvre les petits trous de ses feuilles et se met à respirer.

— Cette nuit-là, le haricot magique s'est mis à pousser, et une chose étonnante est survenue... annonce Mme Friselis.

Mais quelque chose ne va pas. Pascale sent l'eau et l'air circuler dans ses feuilles, mais elle ne sent pas les rayons du soleil. Nous nous apercevons rapidement pourquoi : toutes ses feuilles sont recourbées vers le haut.

— Déroule tes feuilles, chuchote Kisha à Pascale.

Pendant ce temps, nous surveillons sur le moniteur ce qui se produit à l'intérieur de Pascale.

Les chloroplastes à l'intérieur des cellules de ses feuilles se précipitent vers la lumière du soleil. Puis nous apercevons la substance blanche qui sort et descend par une veine jusqu'à sa tige. YOUPI! Pascale a réussi à fabriquer sa nourriture!

C'est alors que Pascale se met à pousser incroyablement vite. L'auditoire applaudit. Personne ne peut en croire ses yeux. Pascale grandit jusqu'au puits de lumière!

— J'ai réussi! J'ai fabriqué ma nourriture et j'ai poussé! s'écrie Pascale. Je suis le meilleur haricot du monde!

Le public se lève et applaudit.

— Merci, merci! dit Pascale. Je remercie le soleil, l'eau et l'air, c'est-à-dire les ingrédients dont les plantes ont besoin pour fabriquer leur nourriture.

— Est-ce que je peux redevenir la Pascale d'avant? demande Pascale, lorsque les applaudissements ont cessé.

— Bien sûr, répond Mme Friselis, en appuyant sur un bouton de l'autobus pour redonner à Pascale son aspect normal. Et tu as été plantas-tique!

Pascale est heureuse, mais elle a vraiment très faim. Elle n'a pas mangé de nourritures pour humains depuis des heures. Jérôme lui donne un biscuit au chocolat.

Mme Friselis regarde Pascale en riant :

— Tu n'étais pas si mal en vert, mais je te préfère sous ta forme originale!

Et nous éclatons tous de rire.

Drrrrrrrrrring!

Autobus magique : Bonjour! Ici l'autobus magique.

Lecteur : Bonjour, je viens de lire votre livre sur les plantes. J'ai quelques questions à vous poser à ce sujet.

Autobus magique : Ah! vous l'avez feuilleté?

Lecteur : Est-ce que les plantes fabriquent VRAIMENT leur nourriture seulement à partir d'eau et d'air?

Autobus magique : Et de SOLEIL aussi. Le soleil est très important. Sans lui, les plantes n'auraient pas l'énergie nécessaire pour fabriquer leur nourriture.

Lecteur : C'est bien triste que les scientifiques n'aient pas découvert la façon dont les humains pouvaient utiliser l'énergie solaire pour se nourrir.

Autobus magique : D'accord, mais nous tirons de l'énergie des plantes... ou d'animaux qui mangent des plantes.

Lecteur : Alors c'est pourquoi les plantes sont si importantes pour nous?

Autobus magique : Oui, parce qu'elles nous nourrissent.

Lecteur : Allons droit au fait : les plantes ne se nourrissent pas à même la terre. Alors à quoi la terre leur sert-elle?

Autobus magique : La terre leur apporte les minéraux et d'autres substances dont elles ont besoin. Et elle leur fournit l'endroit où planter leurs racines. D'autres idées ont-elles germé dans votre esprit?

Lecteur : Justement. Comment se fait-il que le haricot a poussé si vite? J'en ai déjà fait pousser, mais jamais en si peu de temps.

Autobus magique : Parce que c'était un haricot magique. Dans les faits, vous avez raison, il faut beaucoup de temps à une plante pour pousser. Mais dans cette histoire, c'était plus commode d'accélérer le processus.

Lecteur : D'accord, et merci d'avoir été aussi haricot-modant.

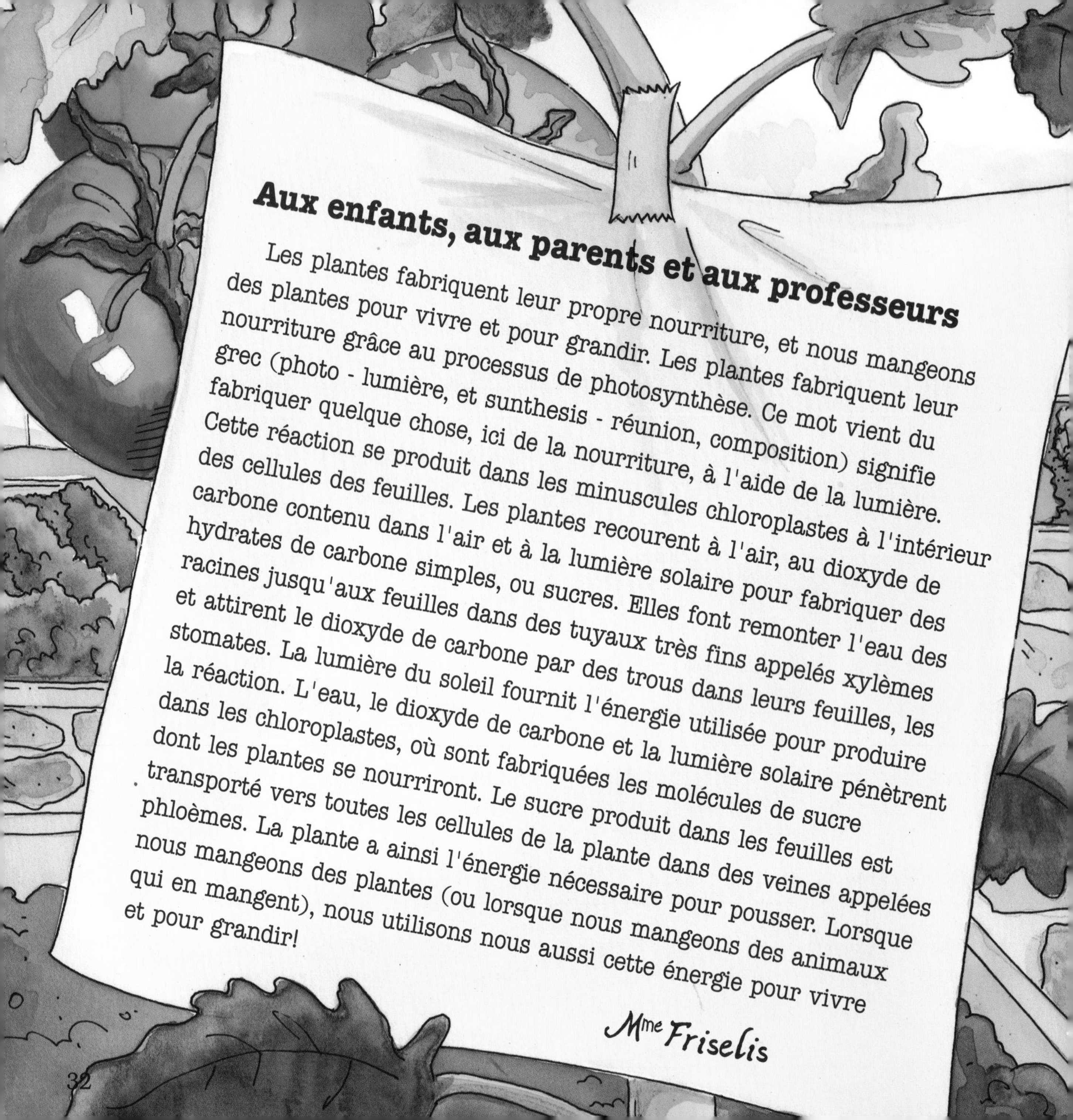

Aux enfants, aux parents et aux professeurs

Les plantes fabriquent leur propre nourriture, et nous mangeons des plantes pour vivre et pour grandir. Les plantes fabriquent leur nourriture grâce au processus de photosynthèse. Ce mot vient du grec (photo - lumière, et sunthesis - réunion, composition) signifie fabriquer quelque chose, ici de la nourriture, à l'aide de la lumière. Cette réaction se produit dans les minuscules chloroplastes à l'intérieur des cellules des feuilles. Les plantes recourent à l'air, au dioxyde de carbone contenu dans l'air et à la lumière solaire pour fabriquer des hydrates de carbone simples, ou sucres. Elles font remonter l'eau des racines jusqu'aux feuilles dans des tuyaux très fins appelés xylèmes et attirent le dioxyde de carbone par des trous dans leurs feuilles, les stomates. La lumière du soleil fournit l'énergie utilisée pour produire la réaction. L'eau, le dioxyde de carbone et la lumière solaire pénètrent dans les chloroplastes, où sont fabriquées les molécules de sucre dont les plantes se nourriront. Le sucre produit dans les feuilles est transporté vers toutes les cellules de la plante dans des veines appelées phloèmes. La plante a ainsi l'énergie nécessaire pour pousser. Lorsque nous mangeons des plantes (ou lorsque nous mangeons des animaux qui en mangent), nous utilisons nous aussi cette énergie pour vivre et pour grandir!

Mme Friselis